I0800686

AUTORI VARI

30 pezzi celebri
Album Ricordi n. 1

Per fisarmonica
Sistema pianoforte e cromatico

Trascrizioni facili di L. O. Anzaghi

Canzoni - Serenate - Pezzi d'opera
Tanghi - Valzer - Mazurche - Marce - Polche

RICORDI

Indice

AVVERTENZE

MELODIA

I numeri incisi in stampatello (es. 1, 2, etc.) *sopra* la melodia, servono per FISARMONICA "sistema PIANOFORTE,,.
I numeri incisi in corsivo (es. *1*, *2*, etc.) *sotto* la melodia, servono per FISARMONICA "sistema CROMATICO,,.

BASSI

La numerica dei BASSI è uguale per ambedue i "sistemi,, di FISARMONICA.

ACCORDI

L'Accordo è indicato da lettere minuscole (es. do) scritto *sopra* la nota equivalente del Basso.
Se detta nota è seguita da "M,, maiuscola (es. do M) indica l'Accordo Maggiore, se seguita da "m,, minuscola (es. do m) indica l'Accordo Minore, se seguita da "S,, maiuscola (es. do S) indica l'Accordo di Settima di dominante; se seguita da "dim.,, minuscola (es. do dim.) indica l'Accordo di Settima diminuita.

Le lettere "B S.,, maiuscole poste *sotto* la linea del Basso, indicano che tali note devono essere eseguite con BASSI SOLI.

NOTA – Le composizioni della presente raccolta possono essere eseguite anche da strumenti da 24 Bassi; basta sostituire gli accordi di Settima di dominante col corrispondente Maggiore, e gli accordi di Settima diminuita col solo Basso precedente o facente parte dell'accordo.

Album Ricordi

per fisarmonica

Funiculì funiculà

CANZONE NAPOLETANA

Versi di G. TURCO

L. DENZA

Produzione, distribuzione e vendita • *Production, distribution and sale:*
Universal Music MGB Publications S.r.l. - via Liguria 4 - 20098 Sesto Ulteriano - San Giuliano Milanese (MI) - Italia

Ais _ se _ _ _ ra, Nan _ ni _ nè, me ne sa _
_ gliet _ te, tu sa _ ie ad _ dò? Ad _
_ dò sto co _ re 'ngra _ to chiù di _ spiet _ te far _ me non po'.
Ad _ dò llo fuo _ co co _ ce, ma si
fu _ ie te las _ sa sta E
non te cor _ re ap _ pries _ so, non te stru _ je su _ lo a guar _ dà.
fa M
do S
Do
Fa
la m
mi S
La
Mi
do M
sol S
Sol
Do

Jam - mo, jam - mo ncop - pa, jam - mo,
jà, jam - mo, jam - mo ncop - pa, jam - mo ja, fu - ni - cu - lì fu - ni - cu-
- là, fu - ni - cu - lì fu - ni - cu - là, ncop - pa jam - mo, jà, fu - ni - cu - lì, fu - ni - cu-
- là. Jam - mo, jam - mo ncop - pa, jam - mo, jà, jam - mo,
jam - mo ncop - pa, jam - mo, jà, fu - ni - cu - lì fu - ni - cu - là, fu - ni - cu - lì fu - ni - cu-
- là, ncop - pa, jam - mo, jà, fu - ni - cu - lì fu - ni - cu - là.
1. e 2. volta
3. per finire
ff p f cresc: sf
sol S do M do S fa M la S re m sib M
Sol Do Fa La Re Sib

La Paloma

CANZONE SPAGNOLA

Trascrizione facilissima per Fisarmonica di
LUIGI ORESTE ANZAGHI

S. YRADIER

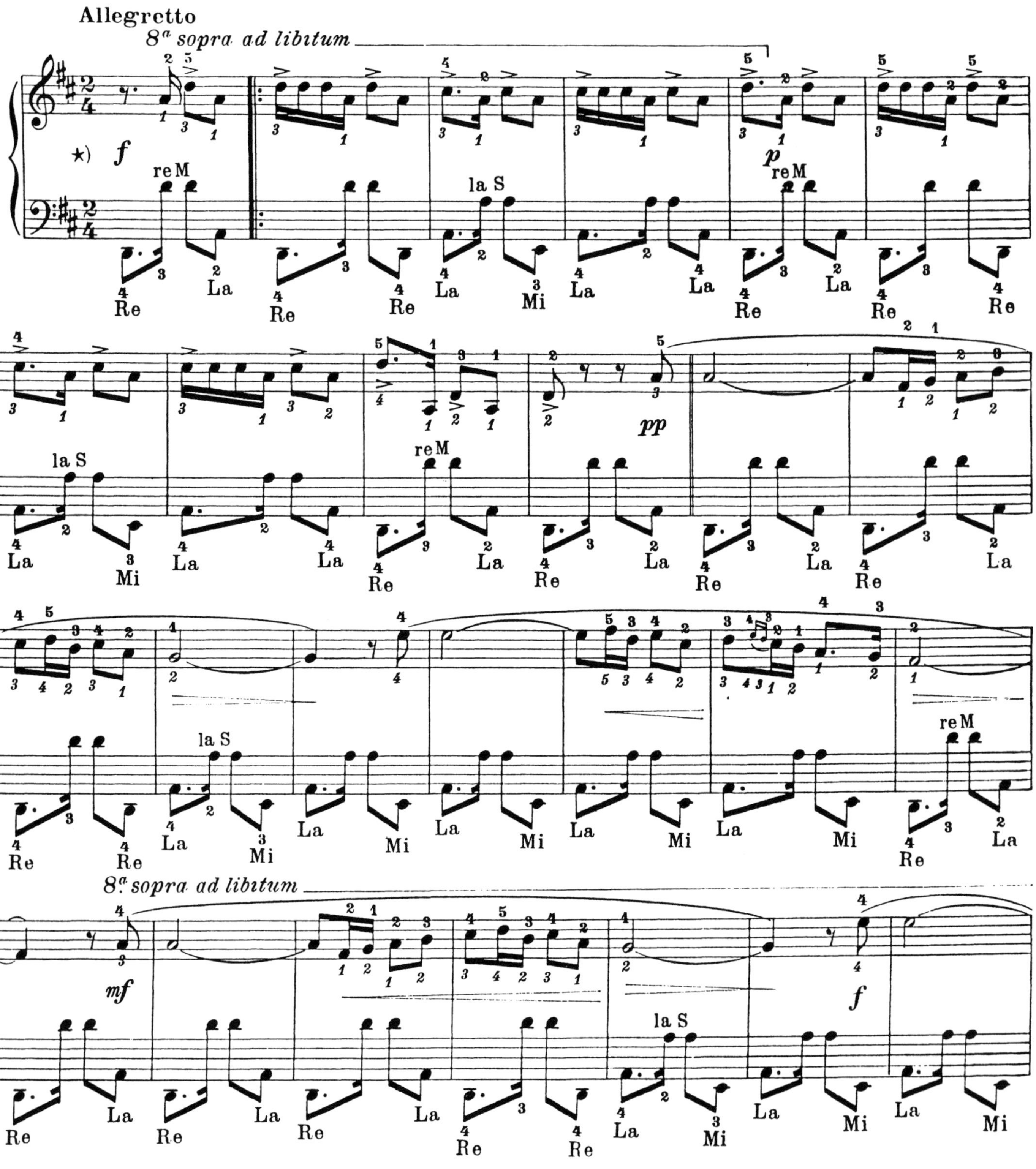

126817

8ª sopra ad libitum
8ª sopra ad libitum
cresc. sempre
re M
la S

Tirolese

CANZONE POPOLARE

ANONIMO

INTRODUZIONE

126817

sol S
do M
Sol
Do
2. per finire

Core 'ngrato

CANZONE NAPOLETANA

Versi di R. CORDIFERRO

S. CARDILLO

Produzione, distribuzione e vendita • Production, distribution and sale:
Universal Music MGB Publications S.r.l. - via Liguria 4 - 20098 Sesto Ulteriano - San Giuliano Milanese (MI) - Italia

-dà ca t'ag-gio da-te'o co-re, Ca-ta-rì, nun te scur-dà!
affrett.
Ca-ta-rì, Ca-ta-
sol m
fa M
do S
fa M
la m
Sol
Do
Do
Fa
La
-rì, che ve-ne a di-ce-re stu par-là ca me dà spa-se-me?
stentato
Tu nun 'nce pien-ze a stu do-lo-re
mi M
la m
si♭M
do S
re m
Mi
La
Si♭
Do
Re
mi - o,
affrett.
Tu nun'nce pienze, tu nun te ne cu - - - re.
si♭M
do S
fa M
do S
fa M
Si♭
Do
Do
Do
Fa
con animo
Co - - re, co-re 'ngra - to, t'aie pi-glia - - to'a vi-ta mi - a,
la m
si♭M
do S
fa M
La
Si♭
Do
Fa
tut - - t'è pas - sa - - to e nun'nce pien - ze chiù!
sol m
fa M
do S
fa M
Sol
Fa
Do
Fa
Fa

Il Carnevale di Venezia

N. PAGANINI

INTRODUZIONE

Allegro

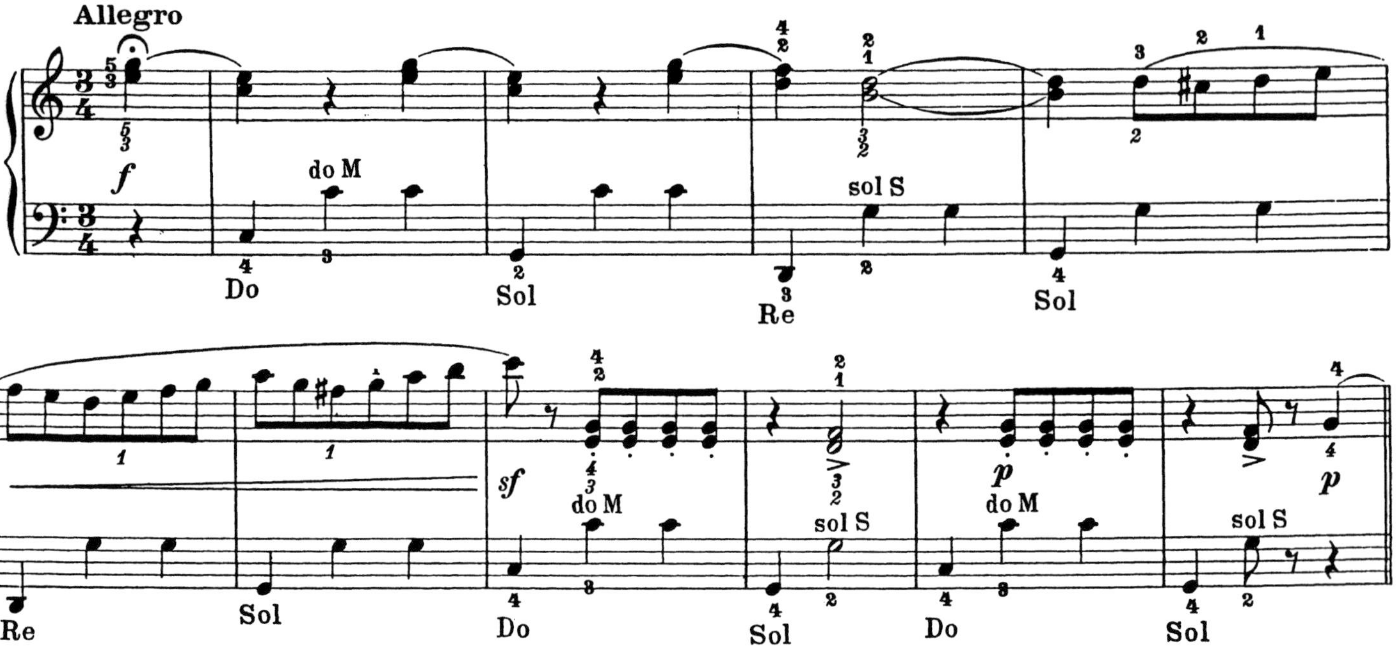

TEMA

126817

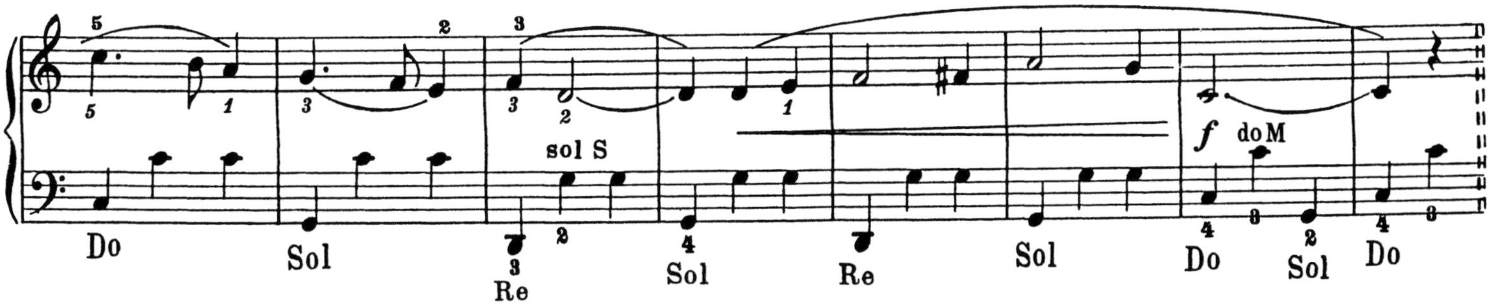

VARIAZIONE I.

8ª. sopra ad libitum

VARIAZIONE II.

La stessa composizione con l'aggiunta di altre Variazioni, in trascrizione facile per Fisarmonica N. 125635, trovasi edita da *G. RICORDI & C.* Milano.

MARECHIARE

Versi di S. DI GIACOMO

CANZONE NAPOLETANA

F. P. TOSTI

126817

Se re - vo - ta - no l'on - ne de lu ma - re, pe la pri - ez - za
ca - gnane cu - lo - - re, quan - no spon - ta la lu - na a Ma - re chia - -
- re
A Ma - re - chia - re nce sta na fe -
- ne - sta, la pas - si - o - ne mia nce tuz - zu - le - - a, nu ca - ro - fa - nò ad -
- do - ra in t'a na te - sta, pas - sa l'ac - qua pe sot - to e mur - mu - lè - -
cresc.
sentito
sol m
re m
fa M
do S
la S
re M
sol M
re S
Sol
Re
Fa
Do
La
sol

-a: A Ma-re-chia - re nce sta na fe - ne - sta.
Ah!
sentito
Ah!
pp
A Ma-re-chia - re, a Ma-re-chia - re nce sta na fe-ne -
cresc.
-sta
dim.
re M
la S
re m
mi♭M
Re
La
Mi♭

AVE MARIA

C. GOUNOD

et be - ne - di - ctus fru - ctus ven - tris tu - i, Je -
fa dim
do M
fa M
re m
sol S
Fa Do Fa Re Sol
- sus San - cta Ma - ri - a, San - cta Ma - ri - a, Ma -
cresc:
do M
do S
fa M
do dim
do m
Do Fa Do
- ri - a, o - ra pro - no - bis, no - bis pec - ca -
fa m
sol S
do M
re m
Fa Sol Do Re
- to - ri - bus nunc et in ho - ra, in ho - ra
sol S
do dim
do M
re m
Sol Do Re
maestoso e allarg.
per finire
mor - tis nos - trae. A - men!
A - men!
dim.
sol S
do S
fa M
sol S
do M
Sol Do Fa Sol Do

Santa Lucia

CANZONE POPOLARE

ANONIMO

126817

pla - ci - da è l'on - da, pro - spe-ro è il ven - to; ve - ni - te al - l'a-gi-le
sol S
do M
re m
Sol Re Sol Do Do Re
bar - chet - ta mi - a... San - ta Lu - ci - a! San - ta Lu - ci - a!
do M
sol S
do M
Re Do Sol Re Sol Do
Ve - ni - te al - l'a-gi-le bar-chet - ta mi - a... San - ta Lu - ci - a!
do M
re m
do M
sol S
Do Re Re Do Sol Re
San - ta Lu - ci - a!
sol S
re m
do M
sol S
Sol Sol Do Sol Re Do Sol
al 𝄋
per Finire
do M
re m
do M
sol S
do M
do M
Do Re Do Sol Do Sol Do Do

SERENATA

F. SCHUBERT

mi - o dol - ce a - mor, mi - o dol - ce a - mor!
A si gran - de amor per - do - na, an - giol cru - del, a me pur, a
me perdo - na do - na inter - ra il ciel,
do - na inter - ra il ciel, in ter - ra il
ciel!
cresc.
dim.
pp

STORNELLI MONTAGNOLI E CAMPAGNOLI

Versi di A. GILL

E. MAZZUCCHI

126817

v'è una bel_la fat_to_ri_a, la vi_ta mi_a, i_vi passo not_te e dì. Là tra il canto d'un uc-
-cel_lo, mormora il ru_scel_lo, sempre chiaro e bel_lo. Quant'ar_mo_ni_a, quan_ta poe_si_a.
U_na bel_la con_ta_di_na, che se_ra e mat_ti_na sem_pre m'è vi_ci_na. Co_sì in mon_ta_gna, l'a
-mo_re si fa.
1. 2. 3. 4. e 5. volta al 𝄋
per finire
ah! ah! ah!

Libiam ne' lieti calici

DALL' OPERA "LA TRAVIATA"

G. VERDI

fre - mi - ti che su - sci - ta l'a - mo - re, poi -
do M
sol S
do M
Do Sol Re Sol Do Sol
- chè quel - l'oc - chio al co - re on - ni - po - ten - te
fa M
mi m
si M
si S
Fa Do Mi Si Si Si
va. Li - bia - - mo, a - mo - re, a - mor fra i
mi m
sol S
do M
Mi Sol Do Sol Do Sol
ca - - li - ci più cal - di ba - ci a - vrà
sol S
do M
Do Sol Do Sol Do Sol Do

E lucevan le stelle

DALL' OPERA "TOSCA"

G. PUCCINI

affrett. rit.
mi cadea fra le braccia...
rubato rit.
Oh! dol-ci ba-ci, o langui-de ca-rezze, men tr'io fre-
p dolcissimo
rubato rit.
-men-te le bel-le for-me di-scio-gliea dai ve-li!
Svanì per sempre il sogno mio d'a-
a tempo
-more... l'o-ra è fug-gi-ta
stent.
e muo-io di-spe-ra-to!
E muo-io di-spe-ra-to!
sostenendo
E non ho a-ma-to mai tan-to la vi-ta, tan-to la
vi-ta!
rit.
Fa♯ Si Sol La Mi

VALZER DI MUSETTA

DALL'OPERA "LA BOHÊME"

G. PUCCINI

Produzione, distribuzione e vendita • Production, distribution and sale:
Universal Music MGB Publications S.r.l. - via Liguria 4 - 20098 Sesto Ulteriano - San Giuliano Milanese (MI) - Italia

a tempo
Co - sì l'ef - flu - vio del de - si - o m'ag - gi - ra
rit. molto
sol M
Sol Re La re S Re
a tempo
fe - li - ce mi fa,
rall.
fe - li - ce
morendo
mi fa!
a tempo
E
re m mi S la m re M
Do Re Si Mi La Re B.S. Sol Re
tu che sa - i, che me - mo - rie ti strug - gi.
quasi rit.
da me tan - to ri -
fa♯ m sol M sol M mi m la S
Fa♯ Sol Fa♯ Mi Sol La Mi Mi La
- fug - gi? So ben: le an - goscie tue non le vuoi dir,
re M fa♯ m sol M
Re La Re Fa♯ Sol Fa♯
appena allarg.
non le vuoi dir, so ben
a tempo
ma ti sen - ti mo - rir!
sol M re M si m sol M re M la S re M
Mi Sol Re Si Sol La La Re La Re

126817

Va, pensiero, sull'ali dorate

G. VERDI

DALL' OPERA "NABUCCO"

va_ - ti, per_chè mu_ta dal sa_li_ce pen_di? Le me_mo_rie nel pet_to rac_
cen - di, ci fa_vel_la del tem_po che fu! O si_mì_le di So_li_ma ai
fa_ - ti trag_gi un suo_no di cru_do la_men_to, O t'i_spi_ri il Si_gno_re un con_
più mosso
_cen - to, che ne in_fon_da al pa_ti_re vir_tù, che ne in_fon_da al pa_ti_ - re vir_
_tù, che ne in_fon_da al pa_ti_ - re vir_tù.

La donna è mobile

DALL' OPERA "RIGOLETTO"

G. VERDI

LE ONDE DEL DANUBIO

VALZER

J. JVANOVICI

do S
Sol Do Sol Do
fa M
Fa Do Fa Do
la m
La
Mi La Mi
mi S
Si Mi
la m
La Mi La
1.
2.
la m
f
fa M
Fa Do
do S
Sol Do Sol Do Fa
fa M
Do Fa
Do
sol m
Sol Re
fa M
Fa Do
do S
Do
1.
fa M
Fa
2.
fa M
p
la m
La Mi La Mi
re m
Re
la m
La Mi La
Mi La Mi
mi S
Si Mi
la m
La Mi
1.
La
2.
La

p
fa M
Fa Do Fa Do Fa Do
do S
Sol Do
Sol Do Sol Do Sol Do
fa M
Fa Do Fa
Fa Do Fa Do Fa Fa
sol m
Sol Re Sol
Re
fa M
Fa Do
do S
Sol Do
1.
fa M
Fa Do Fa
2.
fa M
Fa Do Fa
ff
do M
Do Sol Do
sol S
Re Sol Re Sol
do M
Do Sol
Do Sol Do
re m
Re La Re
sol S
Sol
do M
Do

Il Bacio

VALZER

L. ARDITI

126817

gau - di ti di - re - i, mil - le gau - di ti di - rei.
FINE
Ed i pal - - pi - ti u - di - rei che ri -
- spon - do - no al mio cor, ed i pal - - pi - ti u - di - rei che ri -
- spon - do - no al mio cor. Gem - me e per - le
non de - si - o non son
va - ga d'al - tro af - fet - - to.
D.C. alla Fine

Ciribiribin

Parole di C. TIOCHET

A. PESTALOZZA

VALZER

Adagio
-sa? Co-sa di-rà?
LUI
Eh! via di-rà...
A 2
Co-sa di-rà?... Di-rà?
Di-rà?
LUI
Ci-ri-bi-ri-bin, Ci-ri-bi-ri-bin,
rall.
Ci-ri-bi-ri-bin,
a tempo
A 2
Ci-ri-bi-ri-
RITORNELLO
-bin, che bel fac-cin, che sguar-do dol-ce ed as-sas-sin! Ci-ri-biri-bin, che bel na-
-sin, che bei den-tin, che bel boc-chin! Ci-ri-bi-ri-bin, che bel na-sin che bei den-
-tin, che bel boc-chin! Ci-ri-bi-ri-bin,
rall.
Ci-ri-bi-ri-bin, Ci-ri-bi-ri-
-bin, che bel boc-chin.
1.
a tempo
Ci-ri-bi-ri-chin!
2. al segno
3. per finire

Sul bel Danubio blu

VALZER

J. STRAUSS

Dal 𝄋 alla Fine - poi segue

D. C. alla Fine senza Ritornelli

SOPRA LE ONDE

VALZER

J. ROSAS

 126817

con energia
ff
do M
Do
Sol
Do
Sol
Do
Sol
sol S
Re
Sol
sentimentale
p
Re
Sol
Re
Sol
Re
Sol
do M
Do
Sol
energico
ff
Do
Sol
Do
Sol
la S
Mi
La
re m
Re
La
p
Re
La
do M
Do
Sol
sol S
Re
Sol
1.
ff do M
Do
Sol
Do
2.
ff do M
Do
Sol
Do
p
fa M
Fa
Do
Fa
Do
Fa
Do
do S
Sol
Do
Sol
Do
Sol
Do
Sol
Do
fa M
Fa
Do
mf
Fa
Do

do M
ff
Fa
Do
Fa
Do
Do
Sol
Do
Sol
1.
2.
do M
sol S
do M
f
Do
Sol
Re
Sol
Do
Sol
Do
Do
Sol
Do
fa M
do S
Fa
Do
Fa
Do
Fa
Sol
Do
Sol
fa M
Do
Sol
Do
Sol
Do
Fa
Do
Fa
Fa
Do
re S
sol m
Fa
Do
La
Re
Sol
Re
Sol
Re
1.
2.
fa M
do S
fa M
f
fa M
D.C. alla Fine
Fa
Do
Sol
Do
Fa
Do
Fa
Fa
Do
Fa

La Cumparsita

G. H. MATOS RODRIGUEZ

de lu - juria e-ra una flor que bur-ló su querer hasta que se can-só Y por o-tro lo de - jó!
ff ben marcato
sf
ben cantato
p
Hoy ya so-lo aban - do-na-do a lo tri-ste de su suer-te
f
p
an-sio-so e-spe-ra la muer-te que bien pronto ha de lle - gar Yentre la tri - ste fri-al-dad
mf
cresc. sino al
que len - ta in-va - de el co-ra-zón sin-tió la cru - da sen-sación de su mal - dad!
ff
D.C. alla FINE

Gallo ciego

TANGO ARGENTINO

AGUSTIN BARDI

126817

fa M
fa S
sib M
Sol Do Fa Do Fa Do Fa Sib
do S
fa M
sf
fa S sib M
Sol Do Fa Fa Fa Sib
sib M
do S
fa S
sib M
pp
Sib Fa Sol Do Do Fa Sib Fa Sib
fa S
sib M
do S
Fa Fa Sib Sib Fa Sol Do
fa S
sib M
fa S
sib M fa S sib M
pp
sf
Do Fa Sib Fa Sib Do Fa Sib Fa Sib

TANGO DELLE ROSE

Adattamento ritmico di J. RIVIÈRE

BOTTERO

(✡) Con l'autorizzazione della Casa A. ALLIONE, Parigi, proprietaria esclusiva per tutti i paesi, compresi la Svezia, la Norvegia e la Danimarca.

Ed al suo dol - ce a - mor
can-ta o-gnor co - sì.
RITORNELLO
A - ma-mi, ba-cia-mi con pas - sio - ne,
pren - di-mi,
stringi-mi con ar - do - re,
co - gli-mi,
la mi-a vi-ta e co-me un
fio - re,
fio-ri-sce pre-sto e pre-sto muo - re
è sol per te il mio
1ª da Capo
cuor.
2ª al Ritornello
cuor.
3ª per Finire
cuor.

Rodriguez Peña

TANGO ARGENTINO

VICENTE GRECO

126817

la M
si S
mi M
mi S
La
Si
Mi
8.a ad libitum
D. C.
alla Fine

Sulle rive del Weser

MAZURCA

R. MARENCO

p
fa M
Fa
Do
Fa
do S
Sol
Do
Sol
Do
fa M
Fa
Do
Fa
Do
Fa
do M
Do
Sol
Do
sol S
Sol
do M
Do Sol Do
ff
fa M
Fa
Do
do S
Sol
Do
Sol
Do
fa M
Fa
Do
Fa
fa S
Fa
sf
Si♭M
Si♭
mf
sol m
Sol
fa M
Fa
do S
Do
fa M
Fa
sol m
Sol
fa M
Fa
do S
Do
1.
fa M
Fa
Fa
2.
fa M
Fa
Fa

LA DOCCIA

MAZURCA

G. CAPITANI

126817

Ripetere dall'A al B poi segue

TRIO

f
si S
mi m
fa♯S
si M
Si
Mi
Fa♯
Si
si S
mi m
fa♯S
si M
Si
Mi
Fa♯
Si
Si
f
si M
mi m
p
ff
Si
Mi
f
mf
sol M
la m
re S
sol M
Sol
La
Re
Sol
p
la m
re S
sol M
Re
La
Re
Sol
Re
f
la m
re S
sol M
Sol
La
Re
Sol

la m
re S
sol M
Re
La
Re
Sol
re M
mi m
Re
La
Re
Mi
Si
la S
re M
Mi
La
Re
La
Re
mi m
la S
Re
Mi
Si
Mi
La
La
reM
Re
CODA
la M
re M
la S
re M
la M
La
Re
La
Re
La
re M
la S
re M
si♭M
re M
Re
La
Re
Re
Si♭
Re

A PASSO DI PARATA

CANZONE MARCIA

L. O. ANZAGHI

Produzione, distribuzione e vendita • Production, distribution and sale:
Universal Music MGB Publications S.r.l. - via Liguria 4 - 20098 Sesto Ulteriano - San Giuliano Milanese (MI) - Italia

cresc.
sf
sf
re M
mi S
la M
la S
Sol Re Sol Re Re La Re La Si Mi Si Mi La Mi La La
RITORNELLO (seconda volta ottava sopra a piacere)
f
re M
la S
re M
la S
re M
Re La Re La Mi La Mi La Mi La Mi La Re La Re La Re La
la S
re M
re S
p
Re La Mi La Mi La Mi La Mi La Re La Re Re Re La Re
f
p
sol M
mi S
la M
la S
re M
la S
Sol Re Sol Si Mi Si Mi La Mi La La Re La Re La Mi La
1. al 𝄋
2. al Ritornello
3. per finire
re M
sol M
la S
Mi La Mi La Mi La Re Sol Re Re Re Sol Re La Re La Re Re

NANNI'

CANZONE MARCIA

F. SILVESTRI

(✡) Con l'autorizzazione della Casa A. ALLIONE Milano, proprietaria esclusiva per tutti i paesi, compresi la Svezia, la Norvegia e la Danimarca.

RITORNELLO
ve - di? ecco Ma - ri - no la sa - gra c'è del - l'u - va
fon - ta - ne che dan - no vi - no quan - t'ab - bon - dan - za
c'è ap - pres - so viè Gen - za - no cor pit - to -
- re - sco Al - ba - no. Viet - t'a di - ver - tì Nan -
- nì... Nan - nì...
- nì...
1.
2.
al Ritornello
FINE
mf
f
sf
re M
la S
fa♯M
mi m
sol dim.
sol M
Re
La
Mi
Fa♯
Do♯
Si
Sol

126817

Eccetera

POLCA

E. BECUCCI

INTRODUZIONE

dall'A al B
poi segue
C
D
dal C al D indi
dall'A al B per finire

Flora

POLCA

G. B. PIRANI

ff re M
p
re M
Re La Re La Re La Mi La Mi La Mi La Mi La Re La
la S
ff re M
mi m
p
re M
la S
re M sf
Re La Re La Re La Mi Si Mi Si Re La Mi La Re
dal 𝄋 al ⊕ poi segue
pp
fa M
do S
Fa Do Fa Do Fa Do Sol Do Sol Do Sol Do
fa M
cresc.
Sol Do Fa Do Fa Do Fa Do Fa Do
sol m
re dim.
f
fa M
do S
ff
fa M
Sol Re Sol Re Fa Do Sol Do Fa
dal 𝄋 alla Fine